Félix et Pinso sont dans le grenier de leur nouvelle maison. Le soleil entre par la fenêtre et éclaire le coffre.

Félix essaie d'ouvrir le coffre. Pinso a peur. Il se demande ce qu'il y a à l'intérieur. Il grimpe au sommet d'une bibliothèque.

Félix réussit à ouvrir le coffre de peine et de misère. Il regarde à l'intérieur du coffre. Le coffre est vide. Quelle déception !

Pinso s'approche du coffre. Il est nerveux.
Sa queue fait tomber un livre dans le coffre.
Il s'agit d'un livre sur les chevaliers.

Aussitôt, le livre s'agite dans le coffre. Il bouge dans tous les sens. Une lumière jaillit du coffre. Félix et Pinso sont subitement aspirés dans le livre.

Félix et Pinso sont maintenant à l'intérieur du livre. Félix est un courageux chevalier. Il porte une armure scintillante.

Félix est émerveillé. Pinso et lui sont dans
un château. Ils visitent le château. Le château
est impressionnant.

Félix aime son aventure, mais il se demande comment en sortir. Il veut retourner dans sa maison. Restera-t-il pris dans ce livre? Il cherche la sortie avec Pinso.

Félix et Pinso voient un livre par terre, près d'une tour. Le titre du livre est *La maison de Félix*. Félix prend le livre et l'ouvre. Les deux amis sont instantanément aspirés dans le livre. Ils sont de retour dans le grenier. Quelle aventure !